Ainmhithe na hÉireann

Juanita Browne *a scríobh*

Aoife Quinn *a mhaisigh*

Fidelma Ní Ghallchobhair *a d'aistrigh*

Buíochas

Gabhann an t-údar buíochas leis na daoine seo thíos a thacaigh go flaithiúil le foilsiú an bhunsaothair: Isabell Smyth, Amanda Ryan, Michael Starrett, an Chomhairle Oidhreachta; Bridget Loughlin agus Comhairle Contae Chill Dara; Ciara Baker; Moira Behan; Sean, Alison, Amy, Fiona agus George Browne; Judith Browne, Brian Callan, Denis Clohessy, Seamus Connolly, Bríga Connolly, Juan Donnelly Hermera, Una agus Ben Donnelly; Terry Donnelly, Colum Doyle, Sky agus Eva Dunne; Rebecca Gale, Mary Gallagher, Bill Smyth (nach maireann), Deirdre Halloran, Colin Lawton, John Lusby, Vera agus Pat Lysaght, John Murray, Isobel O'Callaghan, Patrick J. O'Keeffe, Caoimhín Ó Murchú, Vera Power, Cailum Sheehy, Ray Swan, Seamus Sweeney, an tAth. Leonard Taylor, Maureen agus Dominic Timpson, Sophie Van Lonkhuyzen, agus Teresa Walsh.

Buíochas le hAoife Quinn as a léaráidí iontacha uiscedhatha; le Ray O'Sullivan as an dearadh álainn dá chuid; le hAoife Carey as a saothar eagarthóireachta ar an bhfíseán fógraíochta don bhunsaothar Béarla; agus le Cepa Giblin as a tacaíocht le fada an lá. Buíochas freisin le Conor Kelleher as an eolas a roinn sé go fial liom leis na blianta fada; agus le Julian Reynolds as mé a mhisniú agus as a chuid ama.

Ar deireadh, ar ndóigh, buíochas mór le m'fhear céile, Joe, mo bheirt mhac Ben agus John, agus mo mhuintir ar fad as a gcuid tacaíochta agus grá. Barróga móra oraibh go léir!

Creidiúintí Grianghraf

lch. 8 Iora Rua ag léimneach, Crossing the Line Productions; lch.19 Brocais le Maria Archbold Cole; lch. 22 Cat Crainn ag dreapadh, Noel Marry; lch.17 Glasmhíol agus lch. 22 Cat Crainn óg le caoinchead Dan Donoher, Aonad Fiadhúlra Fhondúireacht Ainmhithe Chill Dara.

lch. 6 Francach Donn, Heiko Kiera/Shutterstock; lch. 8 Iora Glas, Giedriius/Shutterstock; lch. 29 Fia Rua, Matt Gibson/Shutterstock; lch. 33 Fia Buí, Matt Gibson/Shutterstock; lch. 40 Rón Glas, Nicram Sabod/Shutterstock; lch. 49 Deilfeanna Bolgshrónacha, Tory Kallman/Shutterstock; lch. 53 Míol Mór Dronnach, Paul S. Wolf/Shutterstock.

Íomhánna eile le Juanita Browne.

Do Ben agus John
x

Juanita Browne, Browne Books, Baile an Chalbhaigh, Cill Chuillinn, Co. Chill Dara, Éire

a chéadfhoilsigh in 2014 mar *My First Book of Irish Animals*.

ríomhphost: jbrownebooks@gmail.com

Téacs © Juanita Browne

Léaráidí © Aoife Quinn

Bundearadh le Ray O'Sullivan – Pixelpress.ie

Bunleagan le tacaíocht ó An Chomhairle Oidhreachta

Fidelma Ní Ghallchobhair a rinne an leagan Gaeilge

Sonraíocht CIP Leabharlann na Breataine. Tá taifead catalóige i gcomhair an leabhair seo ar fáil ó Leabharlann na Breataine.

Tá Cois Life buíoch de Chlár na Leabhar Gaeilge (Foras na Gaeilge), den Chomhairle Ealaíon agus den Chomhairle um Oideachas Gaeltachta agus Gaelscolaíochta (COGG) as a gcúnamh.

An chéad chló 2018 © Juanita Browne

ISBN 978-1-907494-75-8

Clúdach agus dearadh: Alan Keogh

Clódóirí: Turners Printing Co. Ltd.

www.coislife.ie

Clár

2

An Luch Fhéir
Wood Mouse

Maireann Lucha Féir i bpoill fhada faoin talamh. Is ainmhithe an-ghlan iad i ndáiríre. Bíonn áiteanna éagsúla ina gcóras poll acu le bia a stóráil, le dul a chodladh, nó le húsáid mar leithreas.

Is ainmhithe oíche iad, is é sin le rá go gcodlaíonn siad i rith an lae agus go mbíonn siad ar a gcosa san oíche. Nuair a thagann an dorchadas, amach leo as a bpoill le bia a lorg. Itheann siad síolta, gráinní, caora, beacáin, dearcáin, feithidí, seilidí, agus péisteanna. Fiacla géara láidre atá acu le gearradh trí bhlaoscanna cnónna agus cineálacha eile bia crua.

Féach ar na cluasa sin!

Bíonn éisteacht an-mhaith ag Lucha Féir. Déanann siad cumarsáid lena chéile le gíoga géara nach féidir le daoine a chloisteáil.

An Francach Donn

Creimire is ea an Luch Fhéir, mar an gcéanna leis an bhFrancach Donn agus an Vól Bruaigh. Is bia tábhachtach iad na creimirí do go leor ainmhithe agus éan eile. Itheann siad seo ar fad lucha agus francaigh: an Cat Crainn, an Easóg, an Sionnach, agus (na héin) An Scréachóg Reilige agus an Pocaire Gaoithe. Mura mbeadh aon chreimirí againn, ní bheadh na hainmhithe ná na héin áille seo againn ach oiread. Agus, ar ndóigh, mura mbeadh creachadóirí againn, bheimis ar snámh le creimirí!

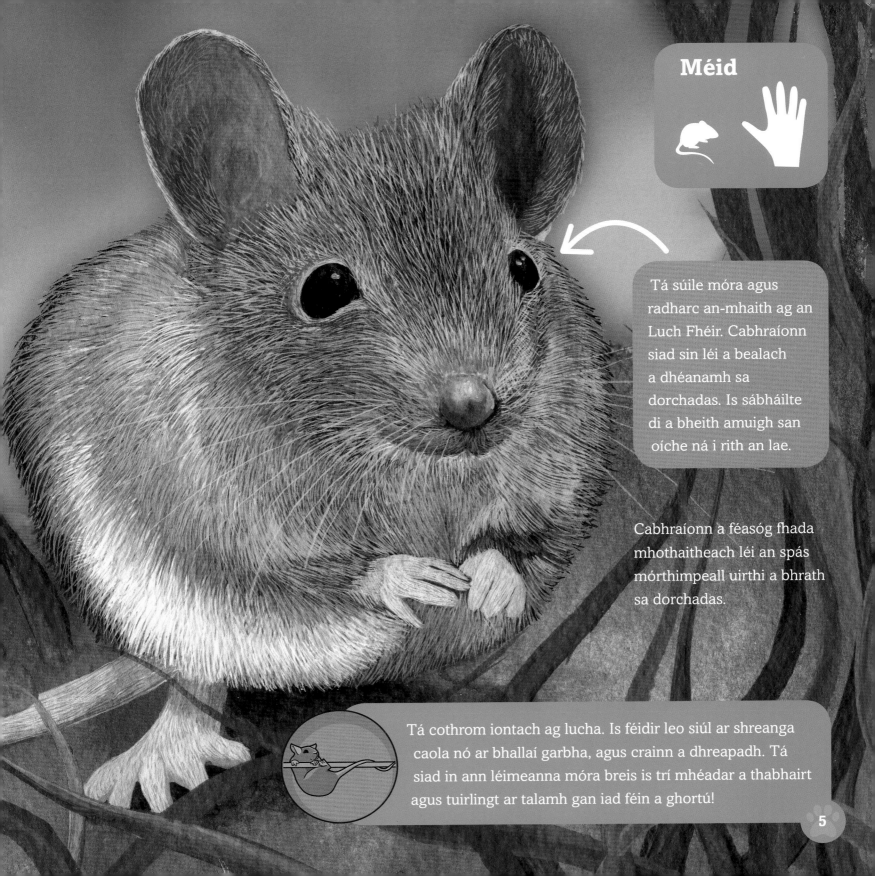

Méid

Tá súile móra agus radharc an-mhaith ag an Luch Fhéir. Cabhraíonn siad sin léi a bealach a dhéanamh sa dorchadas. Is sábháilte di a bheith amuigh san oíche ná i rith an lae.

Cabhraíonn a féasóg fhada mhothaitheach léi an spás mórthimpeall uirthi a bhrath sa dorchadas.

Tá cothrom iontach ag lucha. Is féidir leo siúl ar shreanga caola nó ar bhallaí garbha, agus crainn a dhreapadh. Tá siad in ann léimeanna móra breis is trí mhéadar a thabhairt agus tuirlingt ar talamh gan iad féin a ghortú!

An tIora Rua
Red Squirrel

Tá dhá chineál iora le fáil in Éirinn, an tIora Rua agus an tIora Glas. Is féidir iad a fheiceáil i ngairdíní agus i bpáirceanna cathrach, agus i bhfálta agus i gcoillte chomh maith.

Itheann ioraí cnónna, caora, caora péine, meas feá, pailin, bachlóga, buinneáin agus beacáin.

Tá an tIora Glas níos mó ná an tIora Rua. Agus níl aon dlaoithe fada clúimh ag gobadh aníos as a chluasa. Caitheann Ioraí Glasa níos mó ama ar an talamh ná mar a chaitheann Ioraí Rua.

Tá na hIoraí Rua an-aclaí go deo! Is féidir leo léim ó chraobh go craobh agus rith go sciobtha suas síos ar stoic na gcrann.

An raibh a fhios agat?   Zzzzzz....

Ní dhéanann ioraí codladh geimhridh faoi mar a dhéanann na gráinneoga agus na hialtóga. Cruinníonn siad go leor dearcán agus cineálacha eile bia san fhómhar. Ansin cuireann siad i dtaisce iad i mórán áiteanna folaigh éagsúla i gcomhair an gheimhridh nuair a bhíonn bia gann. Fágann sin nach gá dóibh go leor ama a chaitheamh amuigh ag cuardach bia san aimsir fhuar. Ina ionad sin, tig leo neart ama a chaitheamh ina gcodladh go cluthar ina neadacha. Nuair a bhuaileann ocras iad, ní bhíonn le déanamh acu ach rith amach go sciobtha agus bia a bhailiú ó thaisce folaigh.

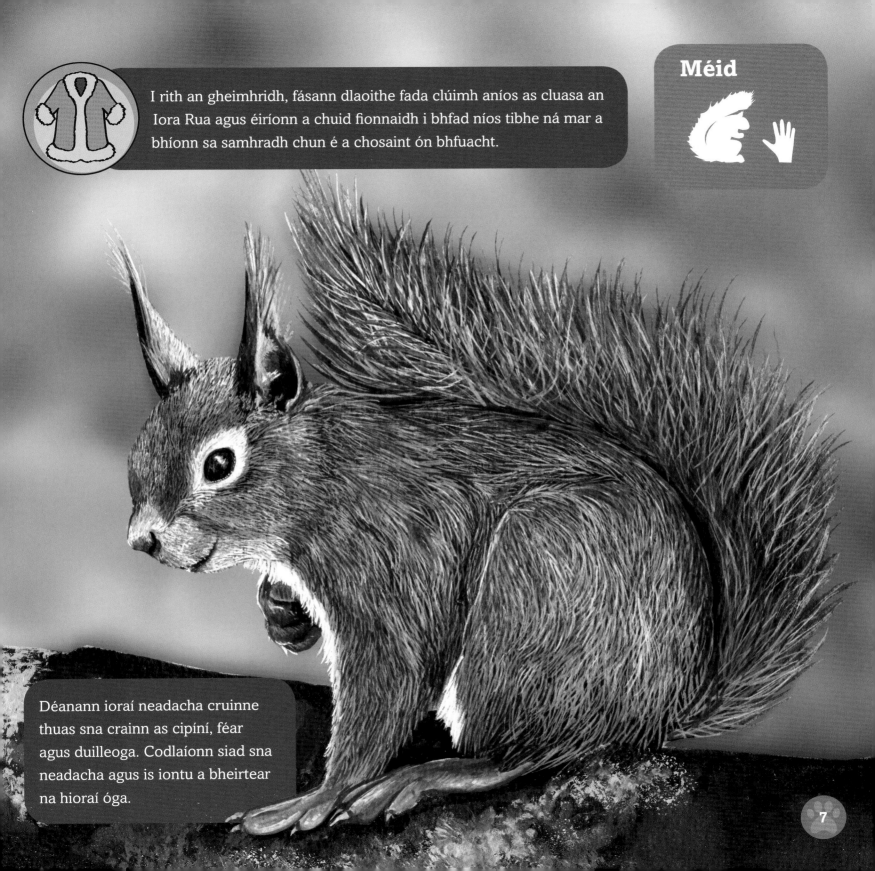

I rith an gheimhridh, fásann dlaoithe fada clúimh aníos as cluasa an Iora Rua agus éiríonn a chuid fionnaidh i bhfad níos tibhe ná mar a bhíonn sa samhradh chun é a chosaint ón bhfuacht.

Méid

Déanann ioraí neadacha cruinne thuas sna crainn as cipíní, féar agus duilleoga. Codlaíonn siad sna neadacha agus is iontu a bheirtear na hioraí óga.

An Ghráinneog
Hedgehog

Cónaíonn an Ghráinneog i gcoillearnacha, i bhfálta agus i ngairdíní. Is gnách go mbíonn sí ar a cois tar éis thithim na hoíche. Is féidir léi suas le trí chiliméadar a thaisteal gach oíche agus í ar thóir bia – feithidí, drúchtíní, péisteanna, boilb agus torthaí.

Is plean maith é poill a fhágáil ag bun chlaí an ghairdín chun ligean do ghráinneoga an cheantair bogadh ó ghairdín go gairdín.

Sa samhradh, saolaítear thart ar cheithre ghráinneog óga don mháthair. Nuair a bhíonn siad thart ar mhí d'aois, treoraíonn a máthair amach as an nead iad. Foghlaimíonn siad le bia a aimsiú trí aithris a dhéanamh ar Mhama.

Is deacair cosa na Gráinneoige a fheiceáil faoina cóta coilgne. Mar sin féin, tá sí in ann rith sách sciobtha nuair is gá. Tá snámh aici chomh maith.

Culaith Chatha!

Bíonn breis is 5,000 colg ar dhroim na Gráinneoige. Más gá di í féin a chosaint, tig léi í féin a chornadh ina liathróid theann choilgne – agus a cloigeann agus a bolg bog a cheilt ar fad.

Bíonn níos lú bia ar fáil sa gheimhreadh, ach tá cleas cliste maireachtála ag an nGráinneog! Déanann sí codladh geimhridh. Ciallaíonn sé sin go dtagann codladh trom uirthi sa chaoi gur lú an fuinneamh a chaitheann sí. Tig léi maireachtáil ar a saill féin go dtí go dtagann aimsir níos teo san earrach.

Titeann teocht cholainne na Gráinneoige go 4°C nó mar sin le linn geimhreachais, agus moillíonn buille a croí ó níos mó ná 200 buille sa nóiméad (bsn) go dtí 5 bsn.

An Dallóg Fhraoigh

(An Luch Chodlamáin Airde)

Pygmy Shrew

Is í an Dallóg Fhraoigh an mamach is lú in Éirinn
– ní mheánn sí ach trí ghram sa gheimhreadh
nuair a bhíonn bia gann.

Tá súile beaga aici agus is dócha gurb in an fáth ar tugadh
Dallóg Fhraoigh uirthi, is é sin, créatúr beag dall sa fhraoch.

Tá sí coitianta ar fud
na hÉireann áit ar bith a
bhfuil brat maith talún ann. Is
maith léi talamh féarach, fálta,
coillearnach agus portach.

Ní thochlaíonn an Dallóg Fhraoigh poll di féin, ach déanann sí nead chruinn as féar tirim. Faoin mbrat talún, faoi charraigeacha nó faoi chrainn mharbha a dhéanann sí a nead. Uaireanta bogann sí isteach i bpoll cónaithe mamach beag eile.

Ní creimire ar nós francach ná luch í an Dallóg Fhraoigh, ach feithiditeoir. Is é sin le rá, itheann sí feithidí mar a dhéanann an Ghráinneog.

Méid

Tá soc fada gobach agus féasóg fhada ar an Dallóg Fhraoigh. Bíogann an fhéasóg de réir mar a chuardaíonn sí bia san easair dhuillí. Ainmhí glórach is ea í, í ag gliogaireacht léi agus í ag bogadh timpeall. Itheann sí cláirseacha, ciaróga, cuileoga, damháin alla, agus larbhaí feithidí.

Ní mór don Dallóg Fhraoigh coinneáil gnóthach le teacht slán. De bhrí go bhfuil sí chomh beag sin, cailleann sí teas na colainne níos sciobtha ná a chaillfeadh ainmhí níos mó. Mar sin, ní mór di meáchan a colainne féin de bhia a ithe gach aon lá chun fanacht beo. Mura féidir léi teacht ar bhia ar feadh níos mó ná cúpla uair an chloig, faigheann sí bás. Fágann sin go mbíonn an Dallóg Fhraoigh gníomhach lá agus oíche ó cheann ceann na bliana.

An Coinín
Rabbit

Bíonn an Coinín le fáil ar fud na hÉireann in áiteanna ina bhfuil féar gearr – ar bharr aillte, i ndumhcha, ar thalamh feirme, i bpáirceanna agus i ngairdíní.

Tá súile móra ar dhá thaobh a chloiginn ag an gCoinín. Mar sin, tá radharc beagnach 360° aige. Cuidíonn sé sin leis creachadóirí a fheiceáil ag teacht ó threo ar bith. Tá eireaball bán air ar a dtugtar sciot, atá cosúil le meall clúmhach. Cosa deiridh fada atá aige.

Cónaíonn Coiníní i ngrúpaí gaolta, agus tochlaíonn siad córas mór poll ar a dtugtar coinicéar. Is gnách go mbíonn an coinicéar ar imeall páirce, nó faoi fhál, dhriseacha nó scrobarnach. Is gá go mbeidh féar gearr ar fáil le hithe in aice láithreach. Itheann coiníní luibheanna ar nós caisearbhán agus cuach Phádraig, chomh maith.

Méid

Coinicéar Coiníní

Fanann Coiníní faoi thalamh ina bpoill i rith an lae, de ghnáth, agus tagann siad amach le bia a ithe tar éis thitim na hoíche. Fanann siad gar dá gcoinicéar mar, má bhraitheann siad baol éigin, is maith leo éalú go sciobtha síos i dtollán. Nuair a bhraitheann Coinín baol, buaileann sé a leathchos deiridh ar an talamh mar rabhadh dá chuid gaolta.

Ní hionann agus an Béarla, níl aon ainm speisialta i nGaeilge ar an gCoinín fireann ná baineann ná ar na cinn óga. Bíonn Coiníní óga an-lag leochaileach nuair a bheirtear iad. Ní bhíonn aon fhionnadh orthu agus bíonn a súile dúnta. Fanann siad faoi thalamh don chéad trí seachtaine dá saol.

Ainm?

An Giorria Sléibhe Éireannach

(An Giorria)

Irish Mountain Hare (Irish Hare)

In Éirinn amháin a bhíonn an Giorria Sléibhe Éireannach. Ní thagann dath bán air sa gheimhreadh de ghnáth, ní hionann agus giorraithe eile san Eoraip. Tá an Giorria i bhfad níos mó ná an Coinín, agus tá cosa agus cluasa níos faide air. Tá na cosa deiridh an-fhada agus tig leis rith go han-sciobtha.

Bíonn an Giorria le fáil ar thalamh feirme, ar thailte arda agus ar thailte féarach oscailte. Ainmhí oíche is ea é go hiondúil, ach uaireanta bíonn sé ar a chois faoi sholas an lae san earrach agus sa samhradh. I rith an lae, is gnách go luíonn an Giorria i log éadomhain os cionn talún ar a dtugtar leaba dhearg.

Mire an Mhárta!

Uaireanta san earrach, feictear giorriacha fireanna agus baineanna ag bruíon is ag achrann. Buaileann siad agus ciceálann siad a chéile lena gcosa tosaigh, agus ritheann siad i ndiaidh a chéile. Sin is bun leis an sean-nath 'chomh mear le míol Márta'.

Níl aon ainm speisialta ar an nGiorria fireann ná ar an nGiorria baineann sa Ghaeilge, ach tugtar 'glasmhíol' ar ghiorria óg. (Seasann 'glas-' do chréatúr óg gan taithí, agus seasann 'míol' d'aon sórt ainmhí nó créatúir.) Beirtear trí nó ceithre cinn de ghlasmhíolta in aon ál amháin. Bíonn na súile ar oscailt ag na glasmhíolta nuair a bheirtear iad agus bíonn cóta iomlán fionnaidh orthu. Cúpla lá tar éis a mbreithe, leathann siad amach agus fanann gach glasmhíol i leaba dhearg éagsúil. Ní thagann siad le chéile ach uair sa lá nuair a thagann a máthair ar cuairt chun iad a bheathú. Is cleas é seo le creachadóir a chosc ó na glasmhíolta go léir a aimsiú agus a mharú.

Glasmhíol óg

Itheann an Giorria féara, fraoch agus luibheanna, agus itheann sé smutáin d'aiteann, de shaileach, de thoir fraochán agus de thoir eile chomh maith.

An Broc

Badger

Ainmhí álainn is ea an Broc. Tá dhá stríoc dhubha ar a éadan bán. San oíche is mó a bhíonn sé gníomhach. Níl aon ainmneacha speisialta ar an mBroc fireann, ar an mBroc baineann ná ar an mBroc óg sa Ghaeilge.

Itheann Broic idir phlandaí agus ainmhithe; mar sin, tugtar 'uiliteoirí' orthu. An bia is mó a itheann siad ná péisteanna talún a thochlaíonn siad as an talamh. Fágann siad poill éadoimhne ina ndiaidh ar a dtugtar poill smúrthaíola. Itheann siad ciaróga, seilidí, froganna, beacáin, torthaí, arbhar agus mamaigh bheaga freisin.

Tá cúig ionga láidre ar gach aon chrúb ag an mBroc agus is tochaltóir iontach é.

Faoi thalamh a dhéanann an Broc a áit chónaithe ar a dtugtar brocais nó brocach. Tochlaíonn na Broic gréasáin fhada tollán agus áiteanna codlata. Bíonn cuid de na brocaisí ollmhór agus tá siad in úsáid ag teaghlaigh broc leis na céadta bliain.

Ainmhithe an-ghlan is ea na Broic. Féar tirim a bhíonn acu mar easair leapa agus athraíonn siad go rialta é. Tagann siad aníos os cionn talún chun ionaid leithris a úsáid achar maith amach óna mbrocais.

Brocais nó Brocach

Méid

Cónaíonn Broic i ngrúpaí teaghlaigh. Is san earrach a bheirtear na cinn óga faoi thalamh. Tagann siad aníos as an mbrocais den chéad uair in aois a seacht seachtaine nó mar sin. Ansin tosaíonn siad ag cur eolais ar an saol mór lasmuigh.

Earrach

Ní bhíonn na Broic chomh gníomhach sin sa gheimhreadh agus caitheann siad go leor ama faoi thalamh. Titeann a dteocht cholainne ar laethanta fuara agus úsáideann siad níos lú fuinnimh. Mairbhití a thugtar ar an bpróiseas sin. Ní dhéanann Broic codladh geimhridh. Maireann codladh geimhridh níos faide ná mairbhití.

17

Tá dhá chóta fionnaidh ar an Madra Uisce lena choinneáil te teolaí. Ceann garbh is ea an ceann amuigh. Faoi sin tá fochóta breá tiubh mín. Déanann an fofhionnadh seo aer a ghabháil leis an gcneas a choinneáil tirim.

Is snámhaí an-mhaith é an Madra Uisce. Tá ladhracha a chos scamallach chun cuidiú leis snámh. Tá féasóg fhada chrua air le cuidiú leis iasc a aimsiú in uisce dorcha nuair is deacair rudaí a fheiceáil.

18

An Madra Uisce

(An Dobharchú, An Dobhrán, An Cú Dobhráin)
Otter

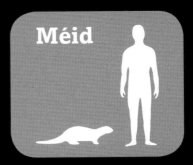

Tá ainmneacha éagsúla i nGaeilge i gceantair éagsúla ar an ainmhí seo. Tá mórán an bunús céanna leo go léir, mar is focal eile ar uisce é 'dobhar' agus is cineál madra é 'cú'.

Maireann na Madraí Uisce in aice le haibhneacha, locha, bogaigh, agus timpeall an chósta. Itheann siad iasc den chuid is mó. Na Madraí Uisce cois cósta, itheann siad portáin, moilisc agus cuáin mhara chomh maith. Beireann an Madra Uisce ar a chuid bia ina lapaí nuair a bhíonn sé ag ithe. Uaireanta, itheann sé agus é ina luí ar a dhroim agus a bholg in úsáid mar bhord aige!

Cuireann an Madra Uisce faoi i mbruach abhann, áit a dtochlaíonn sé poll dó féin. Is minic a bhíonn bealaí éagsúla isteach i bpoll an Mhadra Uisce, cuid acu faoin uisce.

Cónaíonn an Madra Uisce as féin de ghnáth, mura máthair atá ann agus dhá nó trí cinn de choileáin aici. Ainmhí críochach is ea an Madra Uisce – ciallaíonn sé sin go rialaíonn ceann amháin paiste áirithe de bhruach na habhann agus go gcosnaíonn Madra Uisce eile an chéad chríoch eile cúpla ciliméadar suas an abhainn. Déanann Madraí Uisce a gcríocha a mharcáil lena gcacanna.

Bímis ag Spraoi!

Is ainmhí an-spraíúil é an Madra Uisce. Bíonn bruach na habhann mar a bheadh sleamhnán uisce aige! Sleamhnaíonn sé síos ar a dhroim nó ar a bholg. Ansin dreapann sé suas an bruach arís chun é a dhéanamh arís!

Bíonn na coileáin ag coraíocht lena chéile le teann spraoi. Is féidir madraí uisce a fheiceáil ag imirt cluiche le clocha beaga a cheapadh – tógann siad púróg ina mbéal, caitheann in airde san aer í agus féachann lena ceapadh ina mbéal arís.

19

An Cat Crainn
Pine Marten

Tugann a ainm Gaeilge leid dúinn gur ainmhí álainn lúfar é seo agus go gcaitheann sé go leor dá shaol sna crainn. Cuidíonn a ingne fada leis dreapadh. Agus cuidíonn a eireaball fada clúmhach leis é féin a choinneáil ar a chothrom.

Ainmhí aonarach is ea an Cat Crainn, is é sin le rá go gcónaíonn sé as féin. Is gnách gur san oíche a bhíonn sé ar a chois. Bíonn cinn bhaineanna le feiceáil uaireanta le solas an lae le linn an tsamhraidh, áfach. Bíonn bia breise á lorg acu leis na cinn óga a bheathú. Beirtear suas le cúig cinn óga san earrach. Bíonn siad dall agus bodhar nuair a shaolaítear iad. Mar sin, bíonn siad ag brath go hiomlán ar a máthair le haghaidh bia.

Tógadh an Cat Crainn óg seo de láimh in Aonad Fiadhúlra Fhondúireacht Ainmhithe Chill Dara.

Itheann an Cat Crainn torthaí (ar nós sméara dubha), beacáin, péisteanna, feithidí, froganna, mamaigh bheaga agus éin. Má thagann sé ar ainmhithe marbha, itheann sé iad sin chomh maith.

Méid

Is minic a bhíonn neadacha éagsúla ag an gCat Crainn laistigh dá chríoch. Tig leis suas le 20 ciliméadar a thaisteal in aon oíche amháin agus é ar thóir bia.

Cuireann an Cat Crainn faoi i nead nó gnáthóg i gcrainn chuasacha, gága nó carraigeacha, i neadacha móra éan, nó i neadacha ioraí. Cuireann sé féar tirim ina nead mar líneáil. Uaireanta, réitíonn sé nead i ndíon seanfhoirgnimh.

21

Tá cuma éagsúil ar an Easóg Éireannach le hais na n-easóg a mhaireann i dtíortha eile. Ní hionann agus iadsan, ní thagann dath bán uirthi sa gheimhreadh.

Bíonn an Easóg Éireannach le fáil i bhfálta, foraoiseacha, móintigh, riasca, scrobarnach agus talamh ard. Colainn chaol fhada atá aici. Tá sí an-sciobtha agus lúfar. Tá sí in ann í féin a fháscadh isteach i bpoill agus i ngága carraige an-bheag.

An Easóg Éireannach

(An Easóg)

Irish Stoat

Is ainmhí sách fiosrach agus spraíúil í an Easóg Éireannach. Déanann sí formhór a cuid seilge tar éis thitim na hoíche ach, le linn an earraigh agus an tsamhraidh, bíonn sí le feiceáil i rith an lae chomh maith.

Sealgaire den scoth is ea an Easóg Éireannach. Tig léi mamaigh bheaga a leanúint isteach ina gcuid poll, agus féadann sí iad a leanúint thar achair an-fhada go dtí go mbeireann sí orthu.

Féach isteach i mo shúile!

Tá cleas ar leith ag an Easóg Éireannach chun cabhrú léi breith ar Choinín, ainmhí atá deich n-uaire níos mó ná í. Cuireann sí faoi 'hiopnóis' é le rince aisteach! Léimeann sí thart, seasann ar a cosa deiridh, agus bogann a colainn isteach is amach is ó thaobh go taobh os comhair an Choinín. Is cosúil go dtéann seisean i dtámhnéal, agus ansin léimeann an Easóg agus tugann fogha faoi. Baineann sí greim as cúl mhuineál an Choinín chun é a mharú ar an bpointe. Beireann an Easóg léi aon bhia nach n-itheann sí láithreach bonn agus cuireann sí i bhfolach é.

An Sionnach
(An Madra Rua)
Red Fox

Tá éisteacht chomh géar sin ag an Sionnach go mbíonn sé in ann lucha agus fiú péisteanna talún a chloisteáil ag bogadh ar an talamh.

Ainmhí cliste álainn is ea an Sionnach. Is cineál madra fiáin é.

Níl aon ainm ar leith i nGaeilge ar an Sionnach fireann ná ar an gceann baineann. Tugtar coileáin sionnaigh ar na cinn óga. Cónaíonn an Sionnach i bpoll ar a dtugtar brocais nó leaba dhearg.

Fuaim an tSionnaigh

Ní dhéanann an Sionnach tafann mar a dhéanann madra. Bíonn sé sách ciúin, de ghnáth. Sa gheimhreadh, áfach, déanann na cinn fhireanna agus bhaineanna cumarsáid lena chéile le screadanna arda géara. Uaireanta fuaimníonn na glaonna seo mar scréacha scanrúla. Mar sin, b'fhéidir gurbh iad ba bhun leis na scéalta faoin mbean sí in Éirinn fadó – nuair a chloiseadh daoine Sionnach ag glaoch oíche dhorcha.

Is minic a fhanann Sionnach fireann agus Sionnach baineann le chéile ar feadh na mblianta. San earrach a bheirtear na coileáin gach bliain. Fanann an Sionnach baineann lena cuid coileán don chéad chúpla seachtain. Déanann an Sionnach fireann cúram dá theaghlach trí bhia a thabhairt ar ais chuig an mbrocais.

Uaireanta, cuidíonn Sionnach baineann eile ó chuain roimhe sin le tógáil na gcoileán, mar a bheadh aintín acu. Ansin bíonn trí Shionnach fhásta ag tabhairt aire do na coileáin shona san aonad teaghlaigh.

Is ainmhí an-lúfar agus reathaí iontach é an Sionnach. Tá sé in ann léim thar bhallaí arda agus claíocha a dhreapadh. Tig leis crainn a dhreapadh chomh maith!

Itheann Sionnaigh cineálacha éagsúla bia. Chomh maith le lucha, francaigh, coiníní, uibheacha agus ainmhithe marbha, itheann siad feithidí, péisteanna talún, agus torthaí ar nós sméara dubha agus úlla chomh maith.

An Sionnach Cathrach

Tá roinnt Sionnach i ndiaidh foghlaim le maireachtáil i mbailte móra agus i gcathracha. Téann siad chuig páirceanna poiblí agus isteach i ngairdíní ó d'fhoghlaim siad cén chaoi le teacht ar bhia a chaitheann daoine amach.

An Fia Rua
Red Deer

Is é an áit is fearr in Éirinn le Fianna Rua a fheiceáil ná Páirc Náisiúnta Chill Airne i gCo. Chiarraí.

Is é an Fia Rua an t-ainmhí talún is mó atá againn. Thart ar 120 cm ar airde ag a ghualainn atá an fia fireann, ar a dtugtar poc. Eilit a thugtar ar an bhfia baineann. Tugtar laonna eilite nó oisíní ar na cinn óga. Ní fhásann beanna ar an eilit agus tá sí níos lú ná an poc.

Is ainmhithe faiteacha iad na Fianna Rua – téann siad i bhfolach láithreach má chuirtear isteach orthu. Is gnách go maireann na poic agus na heilití i ngrúpaí éagsúla ach amháin sa séasúr reithíochta san fhómhar.

Itheann Fianna Rua go leor cineálacha éagsúla bia – ina measc, féara, luibheanna, dearcáin, buinneáin adhmadacha, agus torthaí.

Déanann an poc a bheanna móra a theilgean gach bliain san earrach. Tosaíonn beanna nua ag fás agus bíonn siad lánfhásta faoi mhí Mheán Fómhair. Téann na beanna i méid gach bliain. Mar sin, tig leat poc atá ag dul anonn san aois a aithint ar mhéid na mbeann aige. Is é beann an fhia an fíochán is sciobtha a fhásann ar mhamach ar bith. Tig leis orlach a fhás gach lá.

Earrach

I mí Mheán Fómhair, téann na poic in iomaíocht le chéile le bheith i gceannas! Seo é séasúr na reithíochta. Téann na poic ag iomlasc sa lathach agus déanann siad poill mhóra ar a dtugtar poill iomlaisc. Bíonn boladh bréan ó na poill iomlaisc. Buaileann na poic a gcuid beann go fiánta i gcoinne plandaí, chomh maith.

Búireann siad go hard le dúshlán poc eile a thabhairt i gcomórtas gutha. Má thosaíonn comhrac, buaileann na poic a mbeanna ina chéile. Ansin brúnn siad a chéile sa dá threo mar thástáil nirt. Is é an poc is láidre a bheidh ina athair ar na laonna go léir a bhéarfar sa tréad eilití sin.

An Fia Seapánach
Sika Deer

Poc a thugtar ar an bhFia Seapánach fireann agus eilit ar an gceann baineann. Tugtar laonna eilite nó oisíní ar na cinn óga. Ní fhásann beanna ach ar na poic, agus is lú ar fad iad ná beanna na bhFianna Rua, agus níos lú reann orthu.

Maireann eilití Fianna Seapánacha le chéile i ngrúpaí ina mbíonn suas le deich n-ainmhí. Ina measc sin bíonn eilití fásta, a n-iníonacha, agus laonna óga, de ghnáth. Fanann na poic astu féin an chuid is mó den am. Tagann siad isteach sa tréad, áfach, le linn an tséasúir reithíochta san fhómhar.

Nuair a bhíonn beanna na bpoc ag fás i rith an tsamhraidh, bíonn siad clúdaithe le craiceann clúmhach ar a dtugtar 'veilbhit'. Cuireann siad díobh an veilbhit roimh an séasúr reithíochta.

Méid

Itheann fianna féar, agus is breá leo toir, duilleoga, torthaí agus driseacha chomh maith. Ar aon dul le ba agus caoirigh, tá goile speisialta ag na fianna – agus is féidir leo plandaí a ithe nach furasta iad a dhíleá. Tugann siad an bia aníos ón ngoile arís isteach ina mbéal agus déanann siad breis coganta air sula slogann siad siar arís é. Is gnách leo a scíth a ligean i rith an lae agus an chíor a chogaint. Tagann siad amach arís le bheith ag piocadh tar éis thitim na hoíche.

Gach bliain san earrach, teilgeann an poc a chuid beann agus tosaíonn beanna nua ag fás air. Bíonn na beanna lánfhásta faoi mhí Lúnasa.

Maireann na Fianna Buí ina dtréada móra. Fanann na poic agus na heilití i ngrúpaí éagsúla. Beanna breátha bosacha a bhíonn ar an bpoc. Fásann siad go réidh leathan ag an mbarr de réir mar a théann an poc in aois.

Bíonn dathanna éagsúla ó bhán go dubh ar na Fianna Buí. Is minic spotaí bána ar a ndroim, agus bíonn scead bhán ar an tóin ar a bhformhór. Bíonn eireaball níos faide ar an bhFia Buí ná ar an bhFia Rua ná an Fia Seapánach.

An Fia Buí

Fallow Deer

Is iad na Fianna Buí na fianna is forleithne in Éirinn – bíonn siad i ngach uile chontae.

Tugtar poc ar an bhFia Buí fireann, eilit ar an gceann baineann, agus oisíní ar na cinn óga.

Saolaítear oisín aonair don eilit i mí an Mheithimh, de ghnáth. Bíonn an t-oisín in ann seasamh suas ar a chosa ón uair a bheirtear é – bíonn sé i bhfad chun cinn ar leanbh daonna! Tá sé seo amhlaidh sa chaoi go mbeidh sé in ann na cosa a thabhairt leis ó chreachadóirí.

Bíonn Fianna Buí le fáil i gcoillearnacha duillsilteacha. Agus is gá réimse féaraigh gar do láthair, áit a dtig leo a bheith ag iníor. Is gnách leo éirí as a leaba dhearg go luath ar maidin agus díreach roimh thitim na hoíche chun iad féin a bheathú. Itheann siad luibheanna, torthaí agus duillí, chomh maith le féar.

Le linn na chéad choicíse dá shaol, is gnách go luíonn an t-oisín faoi cheilt san fhéar fada. Ní thugann a mháthair ach cuairteanna gearra air le bainne a thál air. Déanann sí sin leis an oisín a choinneáil slán ina áit folaigh.

Le linn na reithíochta, buaileann na poic a mbeanna in aghaidh a chéile agus téann ag coraíocht lena chéile mar thástáil nirt.

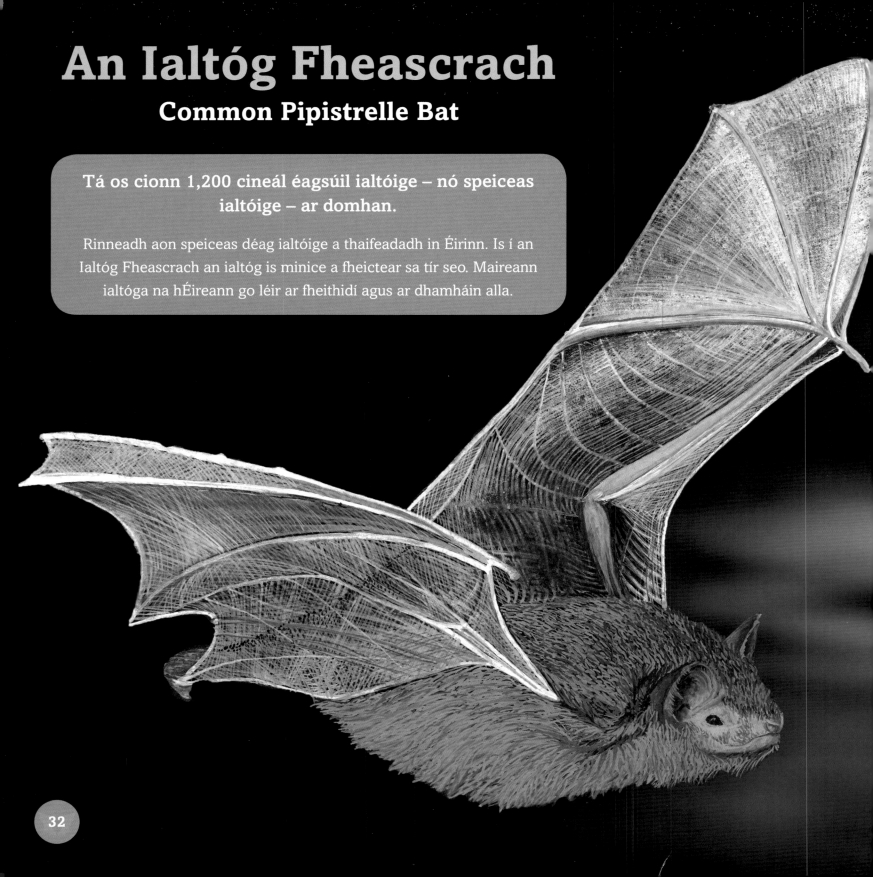

An Ialtóg Fheascrach
Common Pipistrelle Bat

Tá os cionn 1,200 cineál éagsúil ialtóige – nó speiceas ialtóige – ar domhan.

Rinneadh aon speiceas déag ialtóige a thaifeadadh in Éirinn. Is í an Ialtóg Fheascrach an ialtóg is minice a fheictear sa tír seo. Maireann ialtóga na hÉireann go léir ar fheithidí agus ar dhamháin alla.

Ní fíor don nath Béarla 'as blind as a bat'!

Ciallaíonn na hainmneacha ar an ialtóg i dteangacha áirithe (Spáinnis, mar shampla) 'luch dhall'. Ach ní bhíonn ialtóga dall – bíonn radharc maith acu ar nós daoine. Baineann siad leas as céadfa speisialta nach mbíonn ag an duine, áfach, chun cabhrú leo teacht ar bhia sa dúdhorchadas. Tugtar 'aimsiú ó mhacalla' ar an gcéadfa seo.

Méid

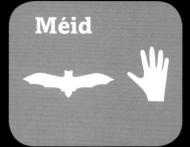

Chun nithe a aimsiú ó mhacalla, déanann an ialtóg glaonna arda géara nach féidir leis an duine a chloisteáil. Preabann na fuaimeanna seo de rudaí ar ais go cluasa géara na hialtóige. Ar an gcaoi seo, tig léi cineál pictiúir dá timpeallacht a dhéanamh. Uaidh sin, bíonn sí in ann dul sa tóir ar fheithidí eitilte. Tig léi eitilt ar chúig chiliméadar déag san uair sa lándorchadas!

Nuair a bhíonn ialtóga ar thóir bia, is féidir leo eitilt trí chiliméadar óna bhfara lae in aon oíche amháin. Tá an Ialtóg Fheascrach ar cheann de na hialtóga is lú atá againn. Ceithre cheintiméadar ar fhad atá a colainn (an cloigeann san áireamh), agus ní mheánn sí ach sé ghram. Ach tá sí thar cionn chun eitilte!

Bíonn ialtóga ina gcodladh i gcaitheamh an lae. Codlaíonn siad bunoscionn agus iad ar crochadh in áit shábháilte fhionnuar ar a dtugtar fara ialtóg. Díreach roimh luí na gréine, eitlíonn siad amach ón bhfara le dul sa tóir ar fheithidí. Téann ialtóga ag seilg i gcoillearnacha, os cionn tailte feirme, in aibhneacha agus i locha.

Beireann an Ialtóg Fheascrach ar chuileoga, mhíoltóga, agus leamhain. Tig le hIaltóg Fheascrach breith ar bhreis agus 3,000 míoltóg in aon oíche amháin!

An Ialtóg Fhadchluasach Dhonn

Brown Long-Eared Bat

Is furasta a fheiceáil cén chaoi a bhfuair an ialtóg seo a hainm! Is amhlaidh atá a cluasa beagnach chomh fada lena colainn! Is de chogar a dhéanann an Ialtóg Fhadchluasach Dhonn a cuid glaonna chun nithe a aimsiú ó mhacalla.

Uaireanta ní gá di cleas 'aimsiú ó mhacalla' a úsáid ar chor ar bith le teacht ar chreach – ina ionad sin, is amhlaidh atá a cluasa móra cumhachtacha in ann feithidí a chloisteáil. Tig léi an fhuaim a leanúint agus breith ar an bhfeithid sa lándorchadas.

Idir míonna na Samhna agus an Mhárta, déanann ialtóga codladh geimhridh. Codladh de chineál an-domhain is ea codladh geimhridh. Cuidíonn sin leo teacht slán tríd an ngeimhreadh fuar nuair nach mbíonn mórán feithidí ag eitilt thart le breith orthu mar bhéilí. I ngrúpaí is ea a dhéanann ialtóga codladh geimhridh in áiteanna taise fuara – ar nós pluaiseanna, mianach, cuas balla, díonta nó crann cuasach.

Samhain

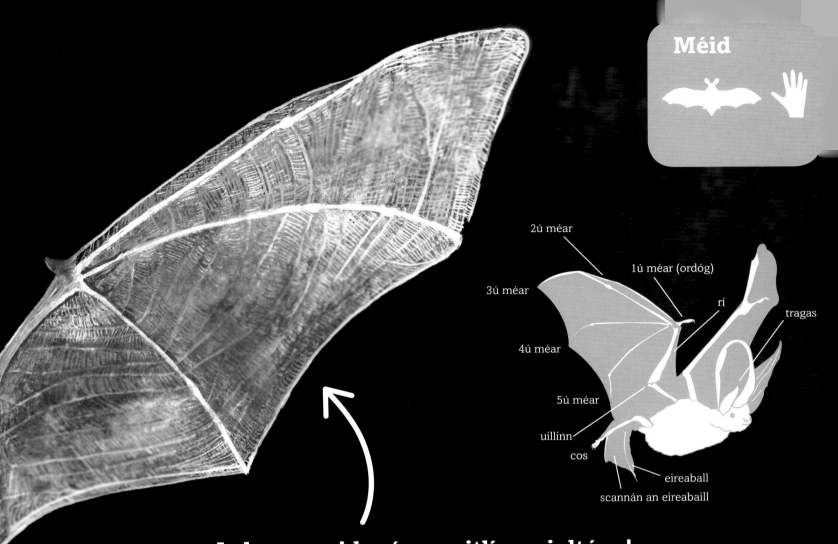

2ú méar

1ú méar (ordóg)

3ú méar

rí

tragas

4ú méar

5ú méar

uillinn

cos

eireaball

scannán an eireabaill

Is lena gcuid méar a eitlíonn ialtóga!

Is ón gcraiceann, ón rí agus ó chnámha fadaithe na láimhe a d'fhorbair sciathán na hialtóige. Ceann de na hainmneacha Gaeilge ar an ialtóg is ea 'sciathán leathair'.

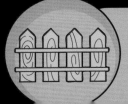

Bíonn fálta, canálacha agus bruacha aibhneacha tábhachtach do na hialtóga. Baineann speicis áirithe leas as fálta don tseilg, le haghaidh fothana ón ngaoth nó ó chreachóireacht, nó chun cuidiú leo a mbealach a dhéanamh agus iad ag taisteal idir faraí éagsúla.

An Chrú-ialtóg Bheag
Lesser Horseshoe Bat

Tá duille sróine ar chruth crú capaill thart faoina polláirí ag an gCrú-ialtóg Bheag. Déanann sí aimsiú ó mhacalla trína polláirí, agus meastar go gcuidíonn cruth dioscach an duille sróine léi a cuid glaonna a threorú.

Tá na Crú-ialtóga Beaga thar cionn ag eitilt! Tig leo scinneadh isteach is amach trí chraobhacha ina siúrsán mar tá a n-eiteoga thar a bheith aclaí.

Tig leis an gCrú-ialtóg Bheag crochadh go saor óna cosa. Go minic, bíonn a cuid sciathán fillte thart ar a colainn agus í ar crochadh.

Is i gcoillearnacha a bhíonn an Chrú-ialtóg Bheag ag seilg. Itheann sí cuileoga agus míoltóga den chuid is mó. Tá dhá chleas aici agus í ag ithe san aer – breith ar chuileoga ar eiteog mar a dhéanfadh seabhac, agus feithidí a phiocadh as an bhfásra.

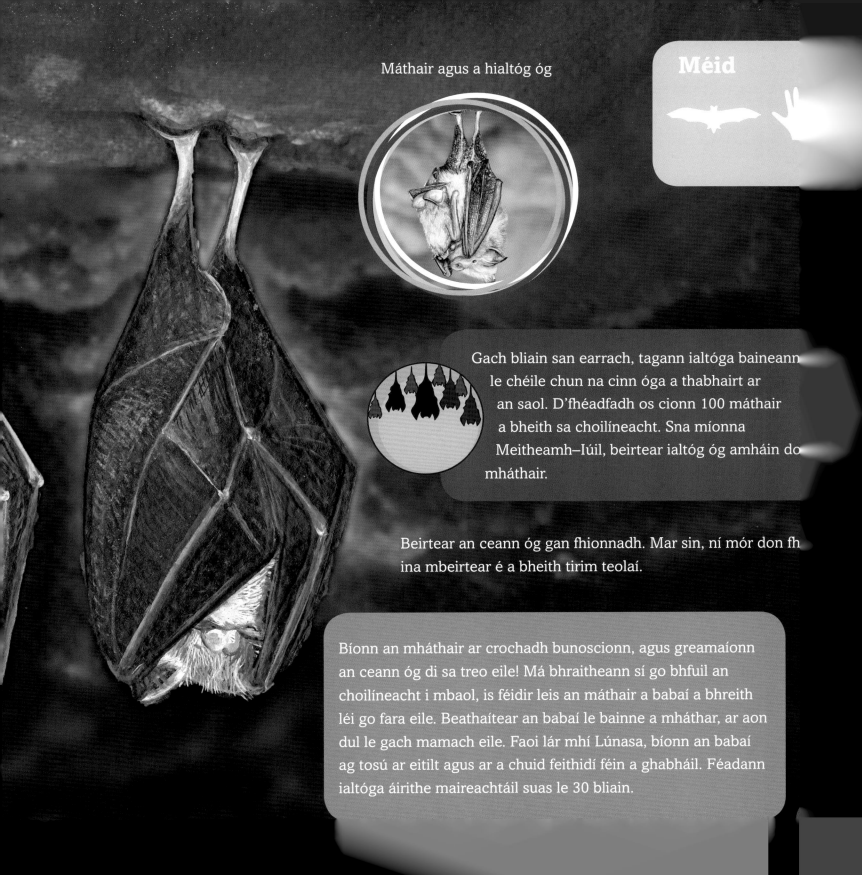

Máthair agus a hialtóg óg

Gach bliain san earrach, tagann ialtóga baineann le chéile chun na cinn óga a thabhairt ar an saol. D'fhéadfadh os cionn 100 máthair a bheith sa choilíneacht. Sna míonna Meitheamh–Iúil, beirtear ialtóg óg amháin do mháthair.

Beirtear an ceann óg gan fhionnadh. Mar sin, ní mór don fh ina mbeirtear é a bheith tirim teolaí.

Bíonn an mháthair ar crochadh bunoscionn, agus greamaíonn an ceann óg di sa treo eile! Má bhraitheann sí go bhfuil an choilíneacht i mbaol, is féidir leis an máthair a babaí a bhreith léi go fara eile. Beathaítear an babaí le bainne a mháthar, ar aon dul le gach mamach eile. Faoi lár mhí Lúnasa, bíonn an babaí ag tosú ar eitilt agus ar a chuid feithidí féin a ghabháil. Féadann ialtóga áirithe maireachtáil suas le 30 bliain.

An Rón Glas
Grey Seal

Tá sraith bhlonaige faoina gcraiceann ag rónta chun iad a choinneáil te san aimsir fhuar.

Tá dhá chineál róin in uiscí na hÉireann, an Rón Glas agus an Rón Beag. Is é an Rón Glas is coitianta a fheictear thart faoi chóstaí na hÉireann.

Ainmhí mór trom is ea an Rón Glas. Tig leis an rón fireann fás chomh fada le trí mhéadar ar fhad agus chomh trom le 300 kg. Sin tuairim is ceithre huaire níos troime ná meáchan fir.

Tarbh nó tarbh róin a thugtar ar an rón fireann sa Ghaeilge agus bainirseach nó bainirseach róin ar an gceann baineann. Éan róin nó lao róin a thugtar ar cheann óg. Itheann rónta iasc, máithreacha súigh (scuideanna), agus crústaigh.

Fionnadh geal bán a bhíonn ar an lao róin ghlais nuair a bheirtear é. Ní bhíonn sé in ann snámh go dtí go bhfásann a chóta úr dorcha uiscedhíonach nuair a bhíonn sé tuairim is trí seachtaine d'aois.

38

Gach bliain i mí Mheán Fómhair cruinníonn Rónta Glasa le chéile i gcoilíneachtaí chun a laonna róin a bhreith. Filleann na bainirseacha ar an trá chéanna, agus fiú ar an spota céanna ar an gcladach, chun a laonna a bhreith. Bíonn go leor calláin sa choilíneacht mar bíonn na rónta ag cneadach, ag geonaíl agus ag tafann lena chéile.

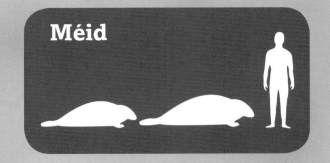

Méid

Tá súile na rónta oiriúnaithe chun cuidiú leo feiceáil faoin uisce. In uisce dorcha, nó go domhain san uisce áit a dtagann níos lú solais ón dromchla, cuidíonn a bhféasóga fada mothaitheacha leo gluaiseachtaí éisc a bhrath.

Bíonn ceangal dlúth idir an mháthair agus an lao róin ón uair a bheirtear é. Aithníonn an bhainirseach a lao óna bholadh agus óna ghlao. Fanann sise gar dá lao le linn na chéad chúpla seachtain dá shaol. Ní théann sí isteach san fharraige ag seilg agus, mar sin, cailleann sí a lán meáchain.

Tig le Rón Glas tumadh chomh domhain le 70 méadar faoin dromchla le bia a lorg, agus tig leis fanacht faoin uisce chomh fada le sé nóiméad déag.

An Rón Beag
(An Rón Breacach)
Harbour Seal (Common Seal)

Tá dhá ainm i nGaeilge agus i mBéarla ar an Rón Beag. Dath ar bith idir liathdhonn agus dúliath mar aon le paistí dorcha a bhíonn air. Tá súile móra cruinne aige, agus féasóg fhada le cuidiú leis iasc a sheilg faoin uisce.

Lapaí scamallacha atá ar an rón. Is dócha go bhfuil cuma an-amscaí air mar ainmhí ar talamh. Ach tá cruth mín sleamhain ar a cholainn agus a lapaí sruthlínithe – mar sin, is snámhaí den scoth é faoin uisce.

Is minic a fheictear rónta ina luí in airde ar charraigeacha nó ar dhumhcha ar chósta na hÉireann. Téann siad i dtír lena laonna a bhreith, le bolg le gréin a dhéanamh, nó chun a gcuid fionnaidh a chur díobh. Ach is san fharraige a chaitheann siad formhór an ama. Tá siad in ann codladh san uisce fiú. Socraíonn siad iad féin go hingearach agus bíonn siad ag bogadaíl suas síos sna tonnta agus iad ina gcodladh.

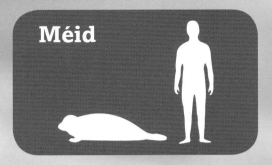

Rón Glas nó Rón Beag?

Tá an Rón Glas níos mó ná an Rón Beag. Tá a chloigeann níos réidhe agus a shrón níos faide, agus a pholláirí beagnach comhthreomhar lena chéile. Ina ionad sin, tá cuma V-chruthach ar pholláirí an Róin Bhig.

Iúil

Beirtear na laonna i mí Iúil, de ghnáth – i bhfad níos luaithe ná laonna na Rónta Glasa. Agus ní chruinníonn na Rónta Beaga le chéile i gcoilíneachtaí chun na laonna a bhreith.

Is geall le mionleagan dá mháthair é lao an Róin Bhig ina chuma. Bíonn an fionnadh uiscedhíonach agus an bhlonag air cheana féin lena choinneáil te. Mar sin, is féidir leis snámh láithreach nuair a bheirtear é.

41

An Mhuc Mhara
(An Tóithín)
Harbour Porpoise

Ní iasc í an Mhuc Mhara ach mamach mara ar a dtugtar Céiticeach. Is Céiticigh iad na míolta móra agus na deilfeanna freisin. Is eol dúinn 24 cineál nó speiceas Céiticeach i bhfarraigí na hÉireann.

Ar aon dul le gach mamach eile, ní mór do na Céiticigh aer a análú. Agus beathaíonn an mháthair an ceann óg, ar a dtugtar lao, lena cuid bainne.

Is í an Mhuc Mhara an Céiticeach is minice a fheictear thart faoi chósta na hÉireann. Is í an ceann is lú í chomh maith – ní fhásann sí níos faide ná 1.7 méadar ar fhad.

Ar nós na n-ialtóg, úsáideann roinnt Céiticeach céadfa na héisteachta le cuidiú leo bia a aimsiú. Déanann an t-ainmhí fuaimeanna cliceála a phreabann de rudaí, iasc san áireamh, ar ais chuig an gCéiticeach. Tig lena n-inchinn céadfa na héisteachta a úsáid chun pictiúr fuaime a dhéanamh dá dtimpeallacht. 'Aimsiú ó mhacalla' a thugtar ar an bpróiseas seo.

Méid

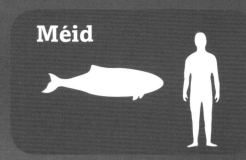

Amhail na míolta móra agus na deilfeanna, bíonn sraith thiubh bhlonaige faoin gcraiceann ag an Muc Mhara lena coinneáil te.

Maireann Muca Mara i ngrúpaí ina mbíonn suas le deich n-ainmhí. Beirtear na laonna sa samhradh. Nuair a bheirtear muc mhara, deilf nó míol mór óg, brúnn an mháthair suas go dtí an dromchla é chun a chéad anáil aeir a tharraingt. Déanann sé análú trína pholl séidte – an polláire ar bharr a chloiginn.

Ciallaíonn an t-ainm ar an ainmhí seo 'muc mhara' i gcuid mhór de theangacha na hEorpa inniu agus b'amhlaidh a bhí sa Laidin fadó (Porculus marinus) bunaithe, is dócha, ar a chruth.

Léimeann siad suas san aer amach as an uisce, chomh maith. Tá siad in ann léim tóin thar ceann san aer, freisin, agus is cosúil go mbíonn an-spraoi acu.

An Deilf Choiteann

Common Dolphin

Ainmhí an-spraíúil is ea an Deilf Choiteann. Má bhíonn tú ag taisteal ar bhád ar chósta na hÉireann, seans go bhfeicfidh tú Deilfeanna Coiteanna. Bíonn siad ag marcaíocht ar chírín na toinne a dhéanann tosach an bháid agus é ag gluaiseacht tríd an sáile.

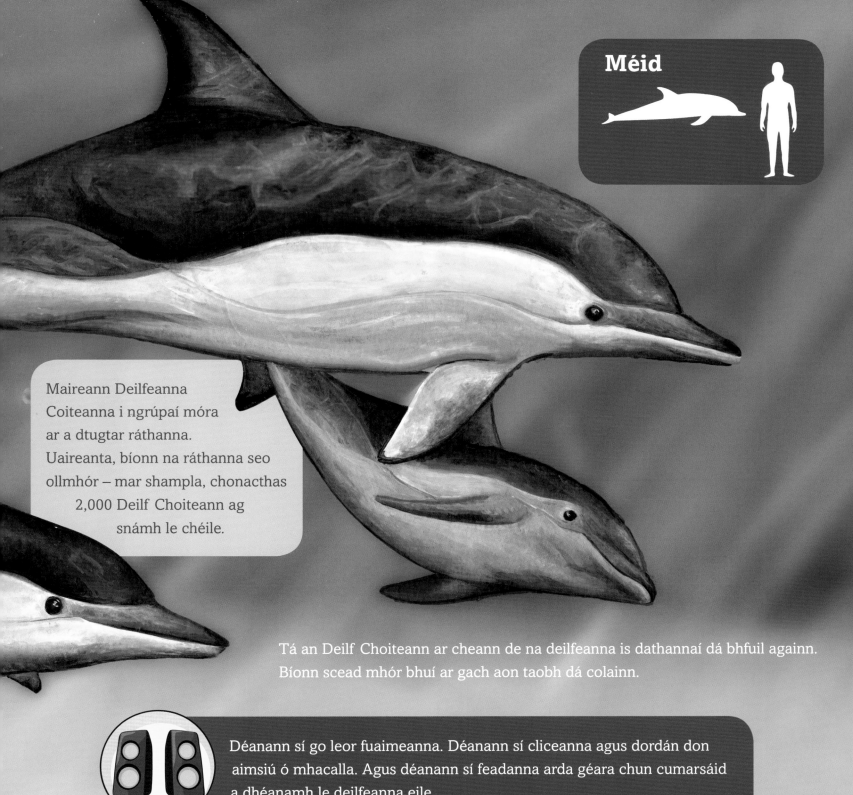

Maireann Deilfeanna Coiteanna i ngrúpaí móra ar a dtugtar ráthanna. Uaireanta, bíonn na ráthanna seo ollmhór – mar shampla, chonacthas 2,000 Deilf Choiteann ag snámh le chéile.

Tá an Deilf Choiteann ar cheann de na deilfeanna is dathannaí dá bhfuil againn. Bíonn scead mhór bhuí ar gach aon taobh dá colainn.

Déanann sí go leor fuaimeanna. Déanann sí cliceanna agus dordán don aimsiú ó mhacalla. Agus déanann sí feadanna arda géara chun cumarsáid a dhéanamh le deilfeanna eile.

45

An Deilf Bholgshrónach

Bottlenose Dolphin

Is ainmhithe an-spraíúil sóisialta iad na Deilfeanna Bolgshrónacha. Maireann siad i ngrúpaí de cúig cinn déag nó mar sin. Cabhraíonn siad lena chéile má bhíonn baol ann.

Tá go leor Deilfeanna Bolgshrónacha ag maireachtáil timpeall chósta na hÉireann. Tá taifead ar thart ar 100 Deilf Bholgshrónach a bheith ag cur fúthu in inbhear na Sionainne.

Tig leis na Deilfeanna Bolgshrónacha tumadh síos chomh fada le 300 méadar faoi dhromchla an uisce. Iasc a mhaireann in aice le grinneall na farraige a bhíonn á sheilg acu, de ghnáth. Mar sin, faightear iad in aice le cósta, áit a mbíonn an t-uisce níos tanaí ná amuigh san fharraige mhór. Is minic a bhíonn siad ag seilg le chéile i ngrúpaí. Cabhraíonn siad lena chéile mioniasc a sheoladh ina bpacaí dlútha ar a dtugtar moll iasc, sa chaoi gur fusa breith orthu.

Deilfeanna ag léim as an uisce

Méid

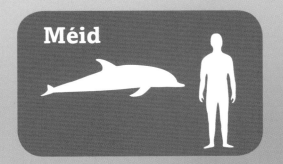

Tá fiacla géara ag an deilf, rud a chuidíonn léi breith ar iasc sleamhain. A luaithe a bheireann sí ar iasc ina soc, caitheann sí siar go cúl a béil é agus slogann sí an t-iasc iomlán mar níl sí in ann cogaint.

Bíonn ceangal an-dlúth idir an mháthair agus an deilf óg. Fanann an lao gar dá mháthair suas le sé bliana. Bíonn sé ina dheilf fhásta in aois a deich agus féadann sé maireachtáil suas le 50 bliain.

47

An Chráin Dhubh
(An Grampar)
Killer Whale (Orca)

Míol mór fiaclach is ea an Chráin Dhubh. Meánn sí suas le deich dtona.

Déanann an Chráin Dhubh mamaigh mhara eile (míolta móra, deilfeanna agus rónta) a sheilg chomh maith le hiasc, agus is dócha gur uaidh sin an t-ainm Béarla.

Maireann Cránacha Dubha i ngrúpaí ar a dtugtar ráthanna. Bíonn suas le 40 ainmhí sa ráth. Is ainmhithe an-chliste iad agus téann siad ag seilg le chéile. Cuidíonn sé sin leo breith ar chreach mhór.

Tig le ceann fireann lánfhásta a bheith níos mó ná naoi méadar ar fhad. Agus féadann a eite dhroma a bheith dhá mhéadar ar airde – níos airde ná fear!

Méid

Tá an Chráin Dhubh ar cheann de na snámhaithe is sciobtha ar domhan – tig léi snámh ar luas 50 ciliméadar san uair. Cuidíonn a craiceann mín agus a cruth sruthlínithe léi gluaiseacht go gasta tríd an uisce.

Tig leis na Cránacha Dubha a gcreach a leanúint thar na céadta ciliméadar. De réir mar a thagann tuirse ar an ainmhí atá á thóraíocht acu is ea is éasca dóibh breith air.

An Míol Mór Dronnach
Humpback Whale

Feictear an Míol Mór Dronnach in aigéin ar fud an domhain agus is cuairteoir rialta é i bhfarraigí na hÉireann.

Féadann an Míol Mór Dronnach fás chomh mór le sé mhéadar déag ar fhad. Agus é ag tumadh faoin uisce, cuireann sé dronn air féin agus sin an dóigh a bhfuair sé an t-ainm 'dronnach'.

Taistealaíonn na Míolta Móra Dronnacha achair an-fhada trasna an domhain – na mílte ciliméadar – agus iad ag dul ar imirce chuig uiscí sách te chun na cinn óga a bhreith.

Tá cleas seilge an-chliste ag na Míolta Móra Dronnacha ar a dtugtar 'doladh le bolgóidí'. Snámhann ceann nó grúpa acu go bíseach i gciorcal aníos faoi bháire éisc agus iad ag séideadh amach bolgóidí aeir. Tugann seo ar na héisc snámh suas i lár an fháinne bolgóidí. Ansin go tobann snámhann an míol mór aníos tríd an dol bolgóidí agus a bhéal ollmhór ar leathadh. Agus slogann sé siar na mílte iasc d'aon ailp amháin!

Tá lapaí ar dhá thaobh na colainne, agus tá siad an-fhada – suas le cúig mhéadar ar fhad. Agus tá an cloigeann an-mhór freisin – is ionann é agus an tríú cuid d'fhad iomlán na colainne.

Tá an Míol Mór Dronnach aitheanta as a 'amhrán'! Déanann sé na fuaimeanna is faide agus is coimpléascaí de chuid na míolta móra agus na ndeilfeanna go léir. Is geall le geonaíl fhada cuid de na fuaimeanna. Tá cinn eile mar a bheadh feadanna, cliceanna agus gíoga.

Ceaptar go mb'fhéidir go mbíonn míolta móra eile in ann amhrán an Mhíl Mhóir Dhronnaigh a chloisteáil agus iad 150 ciliméadar ar shiúl.

Is é an míol mór fireann a chanann. B'fhéidir go ndéanann sé é le cinn bhaineanna a mhealladh, agus le rabhadh a thabhairt do chinn fhireanna eile le linn na tréimhse pórúcháin.

An Droimeiteach
(An Míol Mór Eiteach)
Fin Whale

Tugadh 'cú na mara' ar an Droimeiteach mar go ngearrann a cholainn fhada shlim tríd an uisce ar luas mór agus é ag cúrsáil leis ar 40 ciliméadar san uair nó mar sin.

Is é an dara ainmhí is mó ar domhan é – fásann siad chomh fada le 27 méadar. Feictear Droimeitigh gach bliain amach ó chósta Phort Láirge agus Chorcaí.

Plátaí bailín

Ní bhíonn aon fhiacla ag an Droimeiteach. Ina ionad sin, bíonn stiallacha fada de chíora crua leaisteacha ina ghialla ar a dtugtar plátaí bailín. Úsáideann sé na plátaí bailín chun éisc bheaga agus crill (sliogéisc bheaga) a chriathrú ón uisce. Tugtar míolta móra bailíneacha ar na míolta móra a mbíonn bailín in ionad fiacla acu, mar shampla, an Droimeiteach, an Droimeiteach Beag, agus an Míol Mór Gorm.

Ar nós na míolta móra bailíneacha go léir, tá péire poll séidte mar pholláirí ag an Droimeiteach ar bharr a chinn. Is féidir iad seo a dhúnadh go hiomlán agus a dhéanamh uiscedhíonach le linn don mhíol mór a bheith ag tumadh faoin uisce.

Méid

Is féidir le míolta móra bailíneacha maireachtáil 80 nó 90 bliain.

Is féidir leis an Droimeiteach tumadh chomh fada le 470 méadar faoin dromchla nuair a bhíonn sé ag seilg. Agus tig leis fanacht suas le cúig nóiméad déag faoin uisce. Uaireanta snámhann sé timpeall ar bháirí éisc ar ardluas agus scanraíonn sé iad le fáscadh le chéile ina moll iasc. Ansin snámhann sé tríd an moll agus a bhéal mór ar leathadh aige.

Tig leis a ghialla a oscailt go han-leathan ar fad agus méid ollmhór uisce agus iasc a shlogadh. Ansin dúnann sé na gialla agus brúnn an t-uisce amach as a bhéal arís trí na plátaí bailín. Ligeann siadsan an t-uisce amach ach

An Míol Mór Gorm

Blue Whale

Ocht méadar ar fhad a bhíonn an Míol Mór óg nuair a bheirtear é – thart ar aon fhad le bus! Le linn na chéad seacht mí dá shaol, ólann an ceann óg 400 lítear bainne sa lá óna mháthair.

Is é an Míol Mór Gorm an t-ainmhí is mó ar domhan. Bhíodh ainmneacha eile Béarla air, mar shampla, Sibbald's rorqual agus Great Blue Whale ach tá úsáid na n-ainmneacha sin ag dul i léig go mór.

Is deacair dul amach ar cé chomh mór is atá an t-ainmhí seo. Meánn sé suas le 170 tona, mórán mar an gcéanna le 30 eilifint Afracach. Agus tig leis fás go 33 méadar ar fhad.

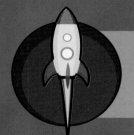

Is airde torann na gnúsachta a dhéanann an Míol Mór Gorm ná torann roicéad spáis ag éirí san aer!

Is gnách go maireann an Míol Mór Gorm as féin nó in éineacht le hainmhí amháin eile. Bíonn na fathaigh seo le feiceáil ag cúrsáil leo feadh chósta thiar na hÉireann.

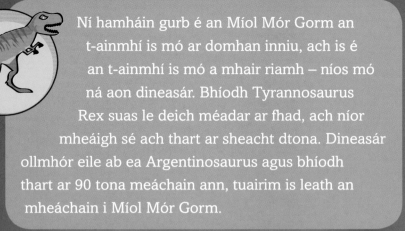

Ní hamháin gurb é an Míol Mór Gorm an t-ainmhí is mó ar domhan inniu, ach is é an t-ainmhí is mó a mhair riamh – níos mó ná aon dineasár. Bhíodh Tyrannosaurus Rex suas le deich méadar ar fhad, ach níor mheáigh sé ach thart ar sheacht dtona. Dineasár ollmhór eile ab ea Argentinosaurus agus bhíodh thart ar 90 tona meáchain ann, tuairim is leath an mheáchain i Míol Mór Gorm.

Méid

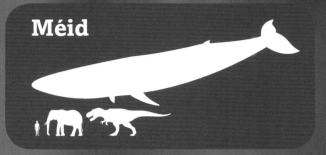

Nuair a scaoileann an Míol Mór Gorm anáil amach trína pholl séidte, séideann an séideán cáite suas le naoi méadar suas san aer!

Cé gur fathach ainmhí é an Míol Mór Gorm, itheann sé ainmhithe bídeacha. Is é a phríomhbhia ná crústaigh bhídeacha, créatúir ribe-róibéiseacha ar a dtugtar crill. Tá crill amháin níos lú ná méar duine. Tig leis breis agus 3,000 kg crille nó 40 milliún de na hainmhithe bídeacha seo a ithe in aon lá amháin.

LEIDEANNA LE TACÚ LEIS AN bhFIADHÚLRA

(agus le cuidiú le páistí ceangal leis an dúlra)

Is iomaí bagairt atá ann don fhiadhúlra. Ina measc tá truailliú, an t-athrú aeráide, speicis ionracha, gnáthóga a bheith á gcailliúint agus á mbriseadh suas de bharr athruithe i gcleachtais feirmeoireachta, agus de bharr bóithre agus foirgnimh a bheith á dtógáil. Ach tá a lán rudaí is féidir libh a dhéanamh le tacú leis an bhfiadhúlra in bhur gceantar féin.

Seo roinnt moltaí.

Ná coinnigí róshlacht ar bhur ngairdíní!

Lig do chúinní den ghairdín nó den chlós scoile fás fiáin, agus tosóidh féara, luibheanna agus bláthanna fiáine dúchais ag fás iontu. Cuirfidh sé seo dídean ar fáil do go leor créatúr beag a bhíonn mar fhoinse bia ag ár gcuid éan agus mamach. Dosán neantóg óg, abair, déanfaidh sé dídean

agus foinse bia do bhoilb na bhféileacán Péacóg, Aimiréal Dearg, agus Ruán Beag. Dá bhfágfaí carn duilleog nó adhmaid i gcúinne ar thaobh na fothana, b'fhéidir go ndéanfadh gráinneog nead ann dá codladh geimhridh.

Ná lomaigí na ciumhaiseanna cois bóthair.

D'fhéadfadh na stráicí talún sin ar thaobhanna na mbóithre faoin tuath a bheith mar dhídean ag go leor feithidí agus créatúr beag, mar tá siad á ruaigeadh as tailte feirme agus gairdíní pioctha bearrtha. Tá a lán dár mbumbóga ag dul i léig, agus tig le ciumhaiseanna bóithre nach ndéantar rólomadh orthu foinsí tábhachtacha neachtair a chur ar fáil do na feithidí breátha seo – is amhlaidh a chuidíonn siad leis an duine trínár mbarra bia a phailniú.

Beathaígí na héin.

Cuirigí beathadán éan sa ghairdín nó i gclós na scoile sa gheimhreadh agus beidh deis iontach agaibh breathnú ar na héin i ngar daoibh. Beidh fáilte níos mó fós rompu má chuireann sibh bosca éan ar fáil.

Cruthaígí gnáthóga nua.

Déanaigí gairdín fiadhúlra. Tógaigí áras míolta i gclós na scoile. Má thógtar linn sa ghairdín, meallfar froganna agus niúit. Chun neachtar a chur ar fáil do na féileacáin, cuirigí tor an fhéileacáin (nó búidlia chorcra), líológ, agus féithleann. Chun beacha a mhealladh cuirigí lus liath (nó labhandar) nó oragán cumhra.

Má thógann sibh bosca ialtóg, beidh áit shábháilte ag ialtóga le dul a chodladh, agus beidh sibh in ann iad a fheiceáil ag teacht is ag imeacht gach tráthnóna. Coinneoidh siad smacht ar mhíoltóga an cheantair chomh maith. Is féidir boscaí ialtóg a chur ar chrann nó ar bhalla timpeall ar do scoil. Dála an scéil, ná bígí buartha má fhaigheann sibh amach go bhfuil ialtóga ag cur fúthu san áiléar. Ní dhéanann ialtóga aon dochar do thithe – ní chreimeann siad adhmad ná ní thugann siad isteach ábhar neadaireachta. Ní dhéanann siad ach crochadh bunoscionn ón díon. Blúirí púdraithe feithidí a bhíonn i gcacanna na n-ialtóg agus ní baol sláinte iad.

Cuirigí crainn agus fálta dúchais.

Má chuireann sibh crainn agus plandaí Éireannacha sa ghairdín, cothóidh sibh an fiadhúlra in bhur gceantar trí fhoinsí nua bia agus dídine a chur ar fáil. Seo bealach iontach leis an dúlra a thabhairt isteach sa scoil chomh maith. Nuair a choinnítear fál dúchais nó nuair a chuirtear speiceas dúchais i bhfál nua, tugtar tacaíocht do go leor ainmhithe a úsáideann fálta. Tá sé an-tábhachtach gan an fál a bhearradh le linn shéasúr neadaireachta na n-éan. Go deimhin, tá sé in aghaidh an dlí fálta a bhearradh idir an 1 Márta agus an 31 Lúnasa gach bliain.

Seachnaígí ceimiceáin ghairdín.

Tig le feithidicídí agus millíní drúchtíní i bhfad níos mó ainmhithe a mharú ná na cinn a d'fhéadfadh a bheith ag ithe bhur gcuid plandaí. Braitheann a lán mionmhamach, éan agus amfaibiach ar fheithidí mar ábhar bia. Nuair a charnann nimheanna i bhfeithidí, tá baol ann do na hainmhithe a itheann na feithidí, ar nós na n-ialtóg agus na ngráinneog. Tig le feithidicídí ár gcuid sruthchúrsaí (uiscebhealaí nó an grinneall thíos fúthu) a thruailliú freisin.

Cuirigí eolas ar an bhfiadhúlra sa cheantar áitiúil.

Tosaígí leis na páirceanna, na tailte faoi chrainn, na tearmainn dúlra, na hionaid oideachais don dúlra, agus na páirceanna náisiúnta is gaire daoibh. Ní sna páirceanna móra amháin a fhaightear fiadhúlra, ar ndóigh. Is féidir go mbeadh na paistí beaga fiadhúlra in bhur gceantar áitiúil an-tábhachtach don fhiadhúlra – na bóithríní tuaithe, an tseanreilig, an sruthán áitiúil, nó talamh gan rath atá faoi bhrat bláthanna fiáine. Déanaigí bainisteoirí na bpáirceanna áitiúla a spreagadh le paistí a fhágáil ag an bhfiadhúlra.

Tosaígí ag breathnú an fhiadhúlra in éineacht le bhur gcuid páistí.

Faighigí déshúiligh, feisteas báistí, buataisí rubair, agus amach libh ag breathnú thart. Is minic muid ag gearán faoin méid ama a chaitheann páistí os comhair scáileán, ach céard faoi na páistí a thabhairt amach le breathnú ar an dúlra – chabhródh sé sin leo an ceangal a dhéanamh. Tharlódh go ndéanfadh sé maitheas daoibh féin chomh maith! Go deimhin, tá fianaise ann go bhfuil nasc leis an dúlra go maith don tsláinte.

Téigí amach ag cuardach na trá; breathnaígí isteach i lochán carraige; spreagaigí na páistí le crainn a dhreapadh; tógaigí seoimrín spraoi amuigh faoin aer; cuirigí cath cnónna capaill ar bun; taispeánaigí dóibh cén chaoi le teacht ar rianta agus ar chacanna ainmhithe. Spreagaigí na páistí le dialann fiadhúlra a thosú lena gcuid eachtraí a bhreacadh síos. Bainigí taitneamh as na nithe beaga nuair a bhíonn sibh ag breathnú an fhiadhúlra. Fiú mura n-éiríonn libh an Cat Crainn a fheiceáil ar an gcéad iarraidh, is mór an spórt iad na héin ghairdín, coiníní nó, go fiú, míola agus damháin alla! Baineann gnéithe éigin as an nua le gach lá a chaitear leis an dúlra.

Glacaigí páirt i gclub fiadhúlra nó i ngrúpa caomhantais.

Bealach iontach le tacú leis an bhfiadhúlra in bhur gceantar agus le foghlaim faoin dúlra ag an am céanna is ea páirt a ghlacadh i gcarthanas caomhantais. Mar bhaill, beidh sibh in ann freastal ar imeachtaí dúlra an charthanais, agus a chuid irisí a fháil. Ag an am céanna, beidh sibh ag tacú lena dtionscadail chaomhantais. É sin nó d'fhéadfadh sibh fiosrú sa scoil maidir le freastal ar imeacht dúlra nó féachaint le cuairt scoile ó shaineolaí fiadhúlra

a eagrú tríd an gClár Oidhreachta i Scoileanna.

Tá go leor eachtraí amuigh ansin le tabhairt fúthu – dul amach agus cuidiú le glantachán abhann nó trá; dul chuig imeacht Cheiliúr na Camhaoire; foghlaim le feithidí a aithint leis an Ionad Náisiúnta le Sonraí Bithéagsúlachta; páirt a ghlacadh i suirbhé ar éin le Cairde Éanlaith Éireann; páirt a ghlacadh i gclub fiadhúlra de chuid Iontaobhas Fiadhúlra Uladh; nó dul ag breathnú ar mhíolta móra leis an nGrúpa Éireannach maidir le Míolta Móra agus Deilfeanna. Bronntanas breá is ea an dáimh leis an dúlra le cur ar aghaidh chuig bhur gcuid pháistí. Mar sin, amach libh agus bainigí sult as!

Suíomhanna Gréasáin Úsáideacha:

Scoileanna Glasa
https://greenschoolsireland.org/

An Taisce
http://www.antaisce.org/

Cairde Éanlaith Éireann
http://www.birdwatchireland.ie/

Caomhnú Ialtóg Éireann
http://www.batconservationireland.org/

An Chomhairle Oidhreachta
http://www.heritagecouncil.ie/

An Clár Oidhreachta i Scoileanna
http://www.heritageinschools.ie/heritage-education-in-schools-ireland/

Cumann Reiptíleolaíochta na hÉireann
https://thehsi.org/

Comhairle Caomhnaithe Phortaigh
na hÉireann
http://www.ipcc.ie/

An Grúpa Éireannach
maidir le Míolta Móra
agus Deilfeanna
http://www.iwdg.ie/

Iontaobhas Fiadhúlra na
hÉireann
http://www.iwt.ie/

An tSeirbhís Páirceanna Náisiúnta agus Fiadhúlra
https://www.npws.ie/

Ionad Náisiúnta le Sonraí Bithéagsúlachta
http://www.biodiversityireland.ie/

Músaem Stair an Dúlra
http://www.museum.ie/
Natural-History

An Cumann Ríoga um
Chosaint Éan
http://www.rspb.org.uk/

Iontaobhas Fiadhúlra Uladh
http://www.ulsterwildlife.org/

Iontaobhas Fiadhúlra Vincent
http://www.vwt.org.uk/

An tÚdar

JUANITA BROWNE

B'aoibhinn liom riamh ainmhithe. Mar sin, nuair a chuaigh mé ar an ollscoil, rinne mé Zó-eolaíocht – staidéar ar ainmhithe agus a mbitheolaíocht. Is breá liom scéalta faoin bhfiadhúlra agus faoi dhomhan an dúlra a roinnt. Mar sin, d'oibrigh mé ar irisí agus leabhair fiadhúlra – an leabhar *Ireland's Mammals* (Browne Books, 2005) san áireamh. Bím ag obair anois ar chláir faisnéise faoin dúlra don teilifís is don raidió. Tugaim cuairt ar bhunscoileanna ó am go chéile le labhairt faoin bhfiadhúlra.

Seo é mo cheathrú leabhar. Tá súil mhór agam go mbainfidh tú sult as.

An Maisitheoir

AOIFE QUINN

Is ealaíontóir mé as Contae Chill Mhantáin. Chuaigh mé chuig an gColáiste Náisiúnta Ealaíne is Deartha agus bhain mé céim BA sa Dearadh Ceardaíochta in 2012. Ba é an dúlra príomhthéama mo chuid ealaíne riamh anall. Féachaim leis seo a cheiliúradh trí mo chuid pictiúr agus léaráidí agus féachaim, chomh maith, le feasacht a chothú ar an staid leochaileach a bhaineann le go leor de na hainmhithe agus de na feithidí a léirím.

Gluais

adhmadach: *woody*

aill: *cliff*

aimsiú ó mhacalla: *echolocation* (ionad rud éigin a oibriú amach ó ghlaonna a dhéanamh agus éisteacht le macallaí na nglaonna ag teacht ar ais)

ainmhí oíche: *nocturnal animal* (ainmhí a bhíonn ar a chois nó gníomhach i rith na hoíche)

áit folaigh: *hiding place*

aiteann: *furze (whin, gorse)*

ál: *litter* (grúpa ainmhithe nó éan óg a bheirtear ag an am céanna, e.g. ál banbh, ál sicíní)

amscaí: *awkward*

aonarach: *solitary*

bailín: *baleen*

bainirseach (róin): *seal cow*

báire éisc: *shoal of fish*

bean sí: *banshee*

beann: *antler*

bíog: *twitch*

bíseach (go bíseach): *in a spiral, spirally*

blonag: *blubber* (fíochán sailleach ina shraith faoin gcraiceann)

bogach: *wetland* (réimse talún atá íseal agus an-fhliuch ar fad)

bogadaíl: *bobbing up and down*

bolb: *caterpillar*

bolg le gréin a dhéanamh: *to bask in the sun*

bolgóid aeir: *air bubble*

bosach: *palmate* (cruth láimhe, nó bhos na láimhe, a bheith orthu)

brat talún: *ground cover* (plandaí beaga ísle a fhásann go dlúth leis an talamh a chlúdach)

brocais: 1. *sett* (an gréasán poll agus tollán faoi thalamh ina gcónaíonn an Broc); 2. *den, earth* (leaba a dhéanann an Sionnach dó féin)

buille croí: *heartbeat*

buinneán: *shoot, sprout* (géag chaol nó bachlóg óg ag teacht ar phlanda)

caisearbhán: *dandelion*

céadfa: *sense* (na cúig chéadfa: radharc, éisteacht, boladh, blaiseadh, tadhall)

céiticeach: *cetacean* (mamach mara a bhfuil cruth

ginearálta éisc air – géaga tosaigh ina lapaí agus eireaball le bosa cothrománacha – agus poll séidte nó dhó chun análú; is céiticigh iad na muca mara, na deilfeanna agus na míolta móra)

cíor: *cud* (an chíor a chogaint, *to chew the cud*)

círín na toinne: *crest of the wave*

claí: *fence*

cláirseach: *wood louse*

cloigeann: *head*

clúmhach: *fluffy*

cneadach: *groaning*

cneas: *skin*

codladh geimhridh: *hibernation*

cogain: *chew*

coileán sionnaigh: *fox cub*

coilgne: *spines*

coilíneacht: *colony*

coillearnach:
    woodland (talamh
    atá beagnach
    clúdaithe le crainn)

coillearnach duillsilteach: *deciduous woodland* (áit a bhfuil crainn a chailleann a gcuid duillí ag deireadh an fhómhair gach bliain)

coinicéar: *warren* (an gréasán tollán ina gcónaíonn coiníní)

colg: *spine*

comhthreomhar: *parallel*

comhrac: *fight for supremacy*

comórtas gutha: *voice competition*

coraíocht: *wrestling*

córas poll: *burrow system*

corn: *roll up*

cothrom: *balance*

crann cuasach: *hollow tree*

creach: *prey*

creachadóir: *predator*

creachóireacht: *predation* (nuair a ghabhann ainmhí amháin ainmhí eile mar chreach le hithe)

creimire: *rodent*

criathraigh: *sieve*

crill: *krill* (sliogéisc bheaga)

críoch: *territory*

críochach: *territorial*

crúb: *hoof, foot, paw*

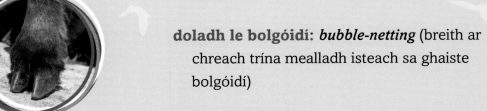

crústach: *crustacean* (cineálacha ainmhithe gan cnámh droma a mbíonn blaosc orthu)

cuach Phádraig: *plantain* (planda beag fiáin)

cuain: *litter* (grúpa ainmhithe óga a bheirtear le chéile do mhamach, e.g. madraí, sionnaigh)

cuán mara: *sea urchin* (ainmhí beag mara a mhaireann ar ghrinneall na farraige; tá colainn chruinn clúdaithe le coilgne aige)

cuasach: *hollow*

cuas balla: *wall cavity*

cuileog: *fly*

culaith chatha: *suit of armour*

cúrsáil: *cruising*

dathannach: *colourful*

dearcán: *acorn*

díleáigh: *digest*

dlaoi clúimh: *fluffy tuft of down or fur*

dol bolgóidí: *bubble net* (lúb nó gaiste bolgóidí)

doladh le bolgóidí: *bubble-netting* (breith ar chreach trína mealladh isteach sa ghaiste bolgóidí)

dordán: *buzzing*

dris: *briar, bramble*

Droimeiteach Beag: *Minke Whale*

drúchtín: *slug*

dúdhorchadas: *pitch darkness*

duille sróine: *nose leaf* (giota craicinn i gcruth duille ar shrón ialtóg áirithe)

dul amach ar: *grasp, get your head around*

dúliath: *dark grey*

dumhach: *sand dune*

dúshlán a thabhairt: *to challenge*

éadomhain: *shallow*

éan róin (= lao róin): *seal pup*

easair: *bedding, litter*

easair dhuillí: *leaf litter* (sraith seanduilleog a thit go talamh ó chrainn agus iad ina luí ar an talamh)

eiteog (ar eiteog): *on the wing* (le linn eitilte)

fadaithe: *elongated*

fáisc: *squeeze*

fara ialtóg: *bat roost*

fara lae: *daytime roost*

fásra: *vegetation*

féasóg: *whiskers*

feithiditeoir: *insectivore* (ainmhí a itheann feithidí)

fíochán: *tissue* (ceann de na cineálacha ábhair as a ndéantar cealla ainmhithe agus plandaí)

fionnadh: *fur, coat*

fionnadh a chur (de): *to moult* (titeann an seanfhionnadh amach chun go dtiocfaidh cóta nua fionnaidh ina áit)

fofhionnadh: *underfur* (fochóta fionnaidh atá níos boige, níos míne agus níos tibhe ná an fionnadh amuigh)

fogha: *attack, lunge*

forbair: *develop*

fothain: *shelter*

fraoch: *heather*

fraochán: *bilberry*

gág: *crevice* (scoilt nó oscailt bheag)

geonaíl: *rumbling*

giall: *jaw*

gíog: *chirp*

glasmhíol: *leveret* (giorria óg)

gliogaireacht: *chattering*

gnúsacht: *grunting*

ingearach: *upright, vertical*

iníor: *grazing*

íogair: *sensitive*

iomlaisc: *roll about, wallow*

ionga: *claw*

ladhar: *toe, space between toes*

lándorchadas: *total darkness*

lánfhásta: *mature, full-grown*

lapa: (ar Rón) *flipper*; (ar ainmhí talún) *paw*

larbha feithide: *insect larva* (feithid nach bhfuil aibí go fóill, gan eití, agus nach bhfuil cosúil le ceann aibí; mar shampla, níl bolb cosúil le féileacán)

leaba dhearg: 1. *form* (leaba a dhéanann an Giorria dó féin); 2. *den, earth* (leaba a dhéanann an Sionnach dó féin); 3. *cover* (fothain ag an bhFia Buí sa choillearnach)

leamhan: *moth*

leochaileach: *frail, vulnerable*

liathdhonn: *pale brown, greyish brown*

líneáil: *lining*

log éadomhain: *shallow dip*

lúfar: *agile*

luibh: *herb*

mairbhití: *torpor* (laghdú ar ghníomhaíocht ag roinnt ainmhithe sa gheimhreadh nuair a úsáideann siad níos lú fuinnimh)

mamach: *mammal* (cineál ainmhí a bhfuil gruaig nó fionnadh air; gineann an ceann baineann bainne leis na cinn óga a bheathú)

máthair shúigh: *squid*

meall: *attract*

meall clúmhach: *fluffy ball*

meas feá: *beech mast* (cnónna an chrainn feá tite go talamh)

mianach: *mine*

míol Márta: *March hare*

míol mór bailíneach: *baleen whale*

míoltóg: *midge*

mionleagan: *miniature*

mionmhamach: *small mammal*

mire an Mhárta: *March madness*

moileasc: *mollusc* (ainmhí beag bog gan cnámh droma; is gnách go mbíonn blaosc nó sliogán air)

móinteach: *moorland*

moll iasc: *bait-ball* (meall mór mionéisc cruinnithe le chéile mar mhodh cosanta ar chreachadóirí)

mothaitheach: *sensitive*

péist talún: *earthworm*

pioc: *browse* (duilleoga, craobhacha agus fásra ard a ithe ar bhonn leanúnach)

pláta bailín: *baleen plate*

pluais: *cave*

pocaire gaoithe: *kestrel*

poll: *burrow*

poll iomlaisc: *wallow hole*

poll séidte: *blow-hole*

poll smúrthaíola: *snuffle hole* (poll a fhágann an broc ina dhiaidh, áit a raibh sé ag smúrthaíl agus ag tochailt le teacht ar phéisteanna talún)

polláire: *nostril*

portán: *crab*

preab de: *bounce off*

púróg: *pebble*

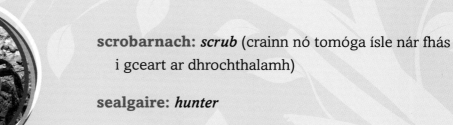

rabhadh: *warning*

ráth: *pod* (buíon nó tréad ainmhithe le chéile, go háirithe deilfeanna nó míolta móra)

reathaí: *runner*

réimse féarach: *grassy area*

rí: *forearm*

riasc: *marsh*

ribe róibéis: *shrimp*

ribe-róibéiseach: *shrimp-like*

rinn: *tine* (craobh chinn de bheann fiaphoic)

saileach: *willow*

scamallach: *webbed*

scannán an eireabaill: *tail membrane*

scead: *light patch on animal*

scinn ina siúrsán: *to whizz*

sciot: *scut*

scréachóg reilige: *barn owl*

scrobarnach: *scrub* (crainn nó tomóga ísle nár fhás i gceart ar dhrochthalamh)

sealgaire: *hunter*

seanfhoirgneamh: *old building*

séasúr reithíochta: *rutting season* (séasúr na cúplála ag fianna agus roinnt ainmhithe eile)

séideán cáite: *blow, flying spume*

seilg: *hunting*

sleamhnán uisce: *water slide*

slog: *swallow*

smután: *chunk*

snámhaí: *swimmer*

soc: 1. *beak* (of whale, dolphin); 2. *snout*

speiceas: *species* (grúpa ainmhithe nó plandaí atá cosúil lena chéile, agus ar féidir leo cinn óga a ghiniúint)

sruthlínithe: *streamlined* (cruth mín sleamhain air chun gluaiseacht tríd an uisce gan dua)

stiall: *strip*

stoc crainn: *tree-trunk*

tailte arda: *uplands* (réimsí arda talún)

taisce folaigh: *hidden hoard*

tál: *give milk* (an chaoi a mbeathaíonn mamaigh na cinn óga)

talamh féarach: *grassland* (réimse mór leathan oscailte talún clúdaithe le féar)

támhnéal: *trance*

tástáil nirt: *test of strength*

teas na colainne: *body heat*

téigh i dtír: *go ashore*

teilg: *cast, shed* (e.g. teilgeann an fiaphoc a bheanna)

teocht cholainne: *body temperature*

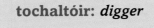

tochail: *dig* (poll a thochailt, *to dig a burrow*)

tochaltóir: *digger*

tor: *shrub*

tragas: *tragus* (cuid den chluas)

tréimhse phórúcháin: *breeding season*

tum: *dive*

uiliteoir: *omnivore* (ainmhí a itheann idir phlandaí is ainmhithe)

uiscedhíonach: *waterproof*

vól bruaigh: *bank vole* (creimire beag bídeach)